MINIMALISMO

una vida más feliz con menos cosas

JUANJO RAMOS

Minimalismo
Una vida más feliz con menos cosas
Juanjo Ramos
Copyright © 2019 Juanjo Ramos

Tabla de Contenido

Licencia de la edición

Este libro ha sido adquirido para su uso personal y no puede ser revendido o regalado a otras personas. Si usted desea compartir esta obra con otras personas, por favor, compre una copia adicional para cada una de las personas con quien desee compartirla. Si usted está leyendo este libro y no lo compró, debería adquirir su propia copia.

Muchas gracias por respetar el trabajo del autor.

Capítulo 1

Introducción: Las cosas no dan la felicidad

"No es más rico quien más tiene, sino quien menos necesita" (Anónimo).

Cuando Sócrates volvía de sus habituales paseos por el mercado de Atenas -siempre sin comprar nada- solía decir: *"Me encanta ver cuántas cosas no necesito para ser feliz."*

En los tiempos de la sociedad de consumo, uno de los errores más frecuentes que las personas cometemos es basar nuestra felicidad en las cosas que poseemos o deseamos poseer. Las campañas de marketing nos bombardean constantemente influyendo y moldeando, queramos o no, nuestra forma de pensar y lo que codiciamos. La cada vez más sofisticada publicidad nos crea constantemente nuevas necesidades artificiales (y con ellas nuevas frustraciones por no poder satisfacerlas), ofreciéndonos píldoras de felicidad en forma de cosas, de objetos. Desde los medios de comunicación se nos vende el estilo de vida de los ricos y famosos como un mundo ideal y de ensueño, ahora amplificado por las redes sociales. Por estas y otras razones, en nuestra cultura se identifica inequívocamente éxito personal con dinero y bienes materiales. Se nos induce a soñar con cosas que probablemente nunca podremos llegar a tener, por lo que volcarnos exclusivamente en el materialismo nos puede generar elevadas dosis de estrés, ansiedad y frustración vital.

A pesar de las sucesivas crisis y recesiones económicas que hemos padecido, objetivamente y en términos generales, vivimos mucho mejor y con más comodidades que hace cincuenta años; sin embargo, es un hecho que cada vez hay un mayor número de personas con depresión, apatía y vacío interior.

Lo realmente sorprendente es que, según estudios realizados en países ricos, una vez alcanzado un nivel de ingresos económicos que satisfaga las necesidades básicas (ropa, comida, vivienda), la acumulación de dinero o patrimonio no le aportaba a la personas una mayor felicidad (1). Una de las conclusiones que podemos extraer de estos estudios es que, si bien es necesario tener cubiertas las necesidades básicas, lo cierto es que a partir de un determinado nivel de seguridad económica, el dinero y las posesiones materiales no tienen una correlación proporcional con la felicidad.

Mucha gente experimenta una sensación de felicidad al comprar cosas; pero en realidad se trata de una emoción pasajera, de un mero espejismo. El hecho es que mientras más cosas tenemos, más efímera se vuelve la emoción que produce adquirir y acumular nuevas posesiones. Por desgracia, muchas personas se dan cuenta cuando ya es demasiado tarde de que han gastado más de lo que podían permitirse en cosas que no necesitan, y que por ende no le dan satisfacción alguna. En los peores casos, se han endeudado de por vida en un vano intento de sentirse mejor.

Por supuesto, una persona puede ser muy feliz y tener una gran cantidad de posesiones, pero seguramente su dicha se deba a otras razones. El error fundamental está en creer que los objetos tienen una suerte de poder mágico que nos va a proporcionar la felicidad.

la historia real de Ryan Nicodemus

El joven ejecutivo Ryan Nicodemus empezó a ganar mucho dinero desde muy joven. A los 20 años ya era más rico que la gran mayoría de personas de su edad, sin embargo no se sentía feliz. Pensó que ganando más dinero se sentiría mejor, así que se enfocó en generar más riqueza, y lo logró. El problema de base residía en que era incapaz de imaginar siquiera la cantidad que le haría alcanzar la ansiada felicidad. Ryan tenía ingresos de seis cifras, una carrera exitosa, una enorme casa y un coche de lujo que cambiaba cada dos años. De puertas afuera estaba viviendo lo que todo el mundo consideraría la viva imagen del éxito, pero también era difícil ver desde el exterior que Ryan no se sentía en absoluto feliz. Su vida estaba llena de estrés, ansiedad y descontento, por no hablar de que, a pesar de haber ganado mucho dinero, también tenía muchas deudas. ¡Estaba gastando mucho más dinero del que ganaba!

El protagonista de nuestra historia había perdido por el camino la capacidad de ver lo que era realmente importante, y estaba intentando llenar su creciente vacío interior comprando coches, ropa cara, muebles de diseño y los últimos aparatos tecnológicos del mercado. Ryan comenzó a darse cuenta de que estaba intentando comprar un pasaje a la felicidad, y de que estaba trabajando muy duro para poder adquirir cosas que no le hacían feliz. Para mantener su elevado nivel de vida llegó a trabajar hasta 80 horas a la semana. Estaba atrapado en un bucle que le había pasado factura en lo personal: no se sentía bien, no estaba sano, y para afrontar sus elevados niveles de estrés recurrió al alcohol y a las drogas. Como consecuencia de todo ello, su matrimonio se fue a pique. En su punto más bajo, Ryan tomo conciencia de que no pensaba en los aspectos importantes de su vida: su salud, sus pasiones, sus relaciones personales... No tenía ningún objetivo vital. Estaba, en una palabra, estancado.

Fue un revelador encuentro con su amigo y compañero de trabajo Joshua Fields lo que cambió su vida para siempre. A pesar de haber llevado similares trayectorias vitales, Josh parecía una persona genuinamente feliz. En realidad, hasta hace poco Josh también había sido muy infeliz, pero algo había cambiado en su vida. Ese algo era el minimalismo. Josh había logrado, como muchas otras miles de personas, simplificar su vida y eliminar todo lo que le sobraba para hacer espacio a lo que realmente le importaba.

Comprometido con su nuevo estilo de vida, una de las primeras cosas que hizo Ryan fue empaquetar absolutamente todas sus pertenencias como si fuera a mudarse, hasta que su casa se llenó de cajas apiladas. Cada caja fue etiquetada con los artículos que contenía, y durante las siguientes tres semanas fue desembalando tan sólo los elementos que realmente iba necesitando en su día a día, como sábanas, los muebles que utilizaba o el cepillo de dientes. Lo revelador del experimento fue que, pasadas esas tres semanas, el 80 por ciento de las cosas, esas cosas que supuestamente le harían feliz, aún permanecían empaquetadas en las cajas. Por tanto, Ryan se dedicó a vender o donar la totalidad de ese 80 por ciento.

Y fue en ese preciso momento cuando Ryan comenzó, por primera vez en su vida, a sentirse verdaderamente rico.

Ahora Ryan no necesita trabajar tantas horas, ha retomado sus relaciones sociales y, sobre todo, duerme mucho mejor, algo que sin duda produce mucha más felicidad que comprar cosas caras. Obviamente, cada caso es distinto, pero está claro que si prescindimos de cargas innecesarias tendremos mucho más tiempo para disfrutar de la vida y dejar espacio para que lo importante entre en ella: el amor, la libertad, la creatividad, el altruismo... Aquí es donde entra en juego el minimalismo, que no es otra cosa que la simplificación de tu vida.

Si tienes que trabajar como un esclavo para pagar los créditos y las facturas de lo que compras, te va a quedar muy poco tiempo para experimentar actividades placenteras que realmente te llenen y te hagan ver la vida de manera positiva. En este punto te invito ya a la reflexión: ¿Puedes prescindir de alguna tarjeta de crédito? ¿Puedes vivir igual con un coche más pequeño o incluso sin coche? ¿Y en una casa con menos habitaciones?

Antes de zambullirnos plenamente en el apasionante mundo del minimalismo te propongo un pequeño ejercicio mental: piensa en alguna época de tu vida en la que fuiste muy feliz. ¿Recuerdas cuántas posesiones tenías entonces? Me aventuro a decir que probablemente tenías muchas menos cosas que ahora.

Imagina por un momento una vida con menos desorden, con más tiempo para ti, con más ahorro, con menos estrés por las deudas, con menos distracciones, con relaciones más profundas, con un propósito. ¿Demasiado bueno para ser verdad? Lo que estás imaginando no es algo utópico ni la vida de unos pocos privilegiados, es algo que está plenamente al alcance de tu mano.

Capítulo 2

Cómo evitar el consumismo compulsivo

Entendemos el consumismo como la adquisición de bienes no esenciales. La mayoría de la gente compra cosas que no necesita y muchas personas gastan más de lo que pueden permitirse por sus ingresos, hasta el punto de incurrir en enormes deudas. Pero, ¿por qué ocurre esto?

Desde el final de la Primera Guerra Mundial, los publicistas juegan con nuestras motivaciones y emociones apelando a nuestros deseos de manera sutil. Los anuncios ya no se basan en la mera comunicación de datos sobre un producto, sino que prometen aventura, prestigio, salud, belleza, reputación, estima, alegría, satisfacción y sexo. ¿Te has parado a pensar qué motivaciones internas están guiando subconscientemente tus impulsos de compra?

Curiosamente, fue un sobrino de Freud, Edward Bernays quien tras la durante la Primera Guerra Mundial comenzó a utilizar el marco teórico creado por su tío para manipular los deseos y motivaciones de las personas. Durante la guerra, Bernays utilizó sus técnicas en campañas de propaganda y reclutamiento de soldados. Al finalizar la guerra, aplicó esas mismas técnicas de propaganda en campañas publicitarias. Hasta ese momento, la gente sólo compraba en base a sus necesidades, por lo que había excedentes de producción. Surgen así las modernas y agresivas técnicas de marketing que llegan hasta nuestros días.

Pero además de lo explicado existen otras causas para el consumismo compulsivo:

- Insatisfacción personal.

- Tedio o aburrimiento.

- Falta de actitud crítica ante la publicidad. (La publicidad idealiza la satisfacción y felicidad personal producida por el consumismo).

- Personalidad manipulable.

- Aceptación de valores consumistas como la identificación de bienes materiales con prestigio o estatus.

- Presión social.

- Ciertas patologías nos hacen también más proclives al consumismo, ya que pensamos que comprando determinados tipos de producto (como los productos milagro) resolveremos el problema.

Medidas prácticas para evitar las compras impulsivas y reducir el consumismo

● Antes de comprar algo, reflexiona detenidamente si realmente necesitas comprarlo o si simplemente estás siendo guiado por la publicidad. ¿El motivo que te hace desearlo es una necesidad concreta y real, o está creado artificialmente por la moda o las campañas de publicidad?

● A a la hora de comprar, plantéate seriamente si es algo que necesitas verdaderamente o simplemente buscas llenar un vacío o una sensación efímera de felicidad.

● Una buena forma de evitar las compras impulsivas es, teniendo en cuenta el precio del producto que piensas comprar, calcular las horas de trabajo que te costaría adquirirlo. Es decir, no pienses que vas a pagar en dinero, sino en número de horas trabajadas. Piensa que lo que realmente ocurre cada vez que adquieres algo es que entregas a cambio tiempo de tu vida. Ten esto presente y comprobarás que te lo pensarás dos veces antes de adquirir ciertas cosas.

● Evalúa los costes ocultos. Casi siempre, cuando compramos un artículo sólo miramos el precio de la etiqueta. Pero esto no es el costo total. Nuestras compras siempre cuestan mucho más: requieren nuestro tiempo, energía y enfoque (limpieza, organización, mantenimiento, reparación, reemplazo, eliminación). Además, causan preocupación, estrés y apego.

● Considera también otras consecuencias de un producto antes de su adquisición, como son su impacto en la salud, en el ecosistema y en la economía local.

● No copies a los demás. El hecho de que tus amigos, vecinos o compañeros de trabajo estén persiguiendo un cierto estilo de vida (como quién se compra el coche más grande o la casa con mayor número de habitaciones) no significa que tú también tengas que hacerlo. Tu vida es única y has de hacer prevalecer tus valores. Si crees que serás más feliz siguiendo las últimas tendencias de la sociedad, estás gravemente equivocado. Si todavía lo dudas, pregúntale a quien ya lo haya hecho.

● Usa la regla de los 30 días. Por ejemplo: cuando ves algo que deseas, no lo compres de inmediato. En su lugar, anota la posible compra en un calendario y espera 30 días. Si pasado el mes aún lo quieres, entonces considera comprarlo, pero descubrirás que pasado ese tiempo muchas de las cosas que anotaste ya no te interesarán o podrás pasar sin ellas.

● Y por último, identifica aquellas actividades que te hacen verdaderamente feliz y céntrate en ellas; puede ser aprender algo nuevo, hacer nuevos amigos, salir con los que ya tienes, hacer deporte, ir a conciertos, leer, oír música, pasear al aire libre... Todas estas actividades proporcionan una felicidad mucho más duradera que el mero acto de comprar.

Capítulo 3

Las mejores cosas de la vida son gratis

En su obra 'La auténtica felicidad' (2002), Martin Seligman, padre de la psicología positiva, nos propone tres vías esenciales para alcanzar la felicidad: la vida hedonista, la vida con compromiso y la vida con significado.

La vida hedonista o placentera es aquella centrada en experimentar tantas emociones positivas como sea posible, o lo que es lo mismo, todos lo placeres que podamos. Estas emociones positivas pueden experimentarse a través de placeres inmediatos (por ejemplo, saborear una buena comida), bien a través de la memoria (recordando momentos y logros positivos), bien anticipándolas. El recuerdo y la anticipación o visualización de los placeres amplifican la emociones positivas. El placer (que no es sinónimo de exceso) es inequívocamente uno de los caminos hacia la felicidad, pero esta vía tiene un gran incoveniente: la gran rapidez con que las personas nos habituamos a las satisfacciones, por lo que las emociones positivas van disminuyendo progresivamente.

La vida con compromiso consiste en identificar nuestras fortalezas personales y encaminarlas hacia unos objetivos previamente marcados. Una vez detectado todo aquello que se nos da bien y nos gusta, tendremos que ponerlo en práctica en trabajos o actividades de manera que nos proporcionen bienestar. En este punto es muy importante el concepto de 'fluir' con la actividad para lograr la felicidad. 'Fluir' o *Flow* es un estado de felicidad alcanzado a través de la realización de una actividad en la que la persona se encuentra completamente concentrada y absorta. Durante este estado, se pierde por completo la noción del tiempo y puede alcanzarse la plenitud creativa. Es importante recalcar que se disfruta con la propia realización de la tarea, sin perseguir el éxito en la misma.

Por último, tenemos el camino de la vida con significado, que consiste en dar un sentido a nuestra vida; esto es, orientar las fortalezas personales que todo humano posee hacia una causa mayor que le trascienda. Por ejemplo, participar en una ONG, en asociaciones comunitarias, religiosas, deportivas, culturales, etc. En otras palabras, se trata de poner nuestras capacidades al servicio de los demás de manera altruista. Este tipo de actividades aumenta la satisfacción personal y el sentimiento de felicidad de manera duradera. Y como puedes ver, nada tiene que ver con el dinero.

Para el minimalismo no hay nada inherentemente malo en la riqueza económica ni en las posesiones materiales. A todos nos gusta tener cosas que nos hagan la vida más cómoda, como también necesitamos un techo, comida, ropa y pagar las facturas. El problema viene cuando situamos la acumulación de posesiones en la primera línea de nuestras prioridades, perdiendo de vista en el proceso los aspectos que verdaderamente otorgan el propósito y sentido que dan plenitud a nuestra vida. Hacernos inmunes al consumismo, eliminar el desorden y las cosas innecesarias de nuestras vidas nos puede ayudar a enfocarnos en lo que realmente importa: las relaciones, el conocimiento, la salud, en concentrarnos en tareas gratificantes, en crecer como personas y, en definitiva, a ser plenamente felices.

¿Significa todo esto que el dinero no da la felicidad? Pues sí y no. Para una persona que no llega a fin de mes, una pequeña cantidad más de dinero supone una inmensa felicidad. Por el contrario, un millonario necesitaría una enorme cantidad de dinero para aumentar algo su nivel de felicidad.

El dicho popular tiene razón: las mejores cosas de la vida son gratis. Para el prestigioso psicólogo de la Universidad de Harvard Dan Gilbert está demostrado científicamente que las cuatro actividades cotidianas que más felicidad aportan al ser humano no cuestan ni un céntimo, y son practicar sexo, hacer ejercicio, escuchar música y charlar.

Por supuesto, podemos hacer un uso positivo del dinero; esto es, usando lo que tenemos para hacer más felices a nosotros mismos y a los demás. Según un trabajo de Elizabeth W. Dunn (Universidad British Columbia, Vancouver, Canadá) publicado en el número 21 de la revista *Science* (2), proporciona mucha más felicidad gastar dinero en los demás que en uno mismo. Según Gilbert, invertir en experiencias (como ese viaje que tanto tiempo llevas planeando en tu cabeza) proporciona muchísima más sensación de plenitud que gastar en bienes materiales.

Sin duda alguna, y como animales sociales que somos, una de las fuentes que nos proporciona mayor felicidad es realizar actividades placenteras, a ser posible, en compañía. Por ejemplo, puedes apuntarte a un curso para aprender algo completamente nuevo o perfeccionar tus habilidades, organizar una fiesta sorpresa para alguien querido, pasear por tus lugares favoritos, pasar el día en el parque, el campo o la playa, quedar con alguien que hace tiempo que no ves, o simplemente salir con tu pareja y hacer lo que él o ella elija ese día. Tu pareja, tu familia y tu amigos valorarán mucho más el tiempo que pases con ellos que todas las cosas materiales que les puedas regalar.

Practicar la vida minimalista no sólo supone prescindir de cosas, sino que persigue una transformación profunda a nivel mental que nos haga cambiar el foco y vivir una vida con significado. Las personas que han adoptado el estilo de vida minimalista se dieron cuenta en algún momento de la mentira en la que habían estado viviendo y decidieron abrazar la vida con sentido. Estas personas dan hoy la impresión de ser más ricas que cualquier millonario tradicional.

Capítulo 4
¿Por qué el desorden nos causa estrés y ansiedad?

El desorden puede desempeñar un papel importante en cómo nos sentimos. Los hogares o espacios de trabajo desordenados o atiborrados de cosas nos hacen sentir ansiosos, estresados y sobrecargados. Sin embargo, rara vez se reconoce el desorden como una fuente importante de estrés en nuestras vidas. El desorden de tus espacios vitales son un claro reflejo de tu "desorden" interior. El desorden no tiene por qué ser sólo físico; también puede ser mental, emocional, espiritual o incluso digital. Cualquiera de estos desórdenes o una combinación de los mismos nos puede conducir a altos niveles de estrés y ansiedad. ¿Recuerdas la última vez que estuviste de vacaciones? Seguramente sentiste más relax y mucho menos estrés que cuando estabas en casa y en tu entorno habitual. Claro; el sol, el aire libre y la playa ayudaron sin duda a reducir tus niveles de estrés, pero también influyó poderosamente el hecho de que te encontrabas en un entorno libre de desorden y estabas experimentando la alegría de la frugalidad. Lo cierto es que, mientras más desorden y acumulación de cosas tengas que soportar, más agobiado/a te sentirás debido al dolor anticipado de la pérdida. Por ejemplo, un interesante estudio sociológico de 32 familias de clase media llevado a cabo en Los Ángeles por investigadores de la UCLA (3) descubrió, entre otras cosas, que en muchos hogares el manejo del volumen de posesiones era un problema tan aplastante que elevaron los niveles de hormonas del estrés en las madres. Además, el auge de las megatiendas que venden productos en grandes volúmenes aumentó la tendencia de las familias a acumular alimentos y productos de limpieza, lo que hizo que el desorden fuera mucho más difícil de contener. Curiosamente, incluso en una región con un clima templado durante todo el año, las familias apenas usaban sus patios, incluso aquellas que habían invertido mucho dinero en mejoras y muebles para exteriores.

Algunas razones por las que el desorden nos causa estrés

● El desorden bombardea nuestro cerebro con estímulos (visuales, olfativos, táctiles) excesivos, causando que nuestros sentidos trabajen más de la cuenta en elementos que no son necesarios ni importantes.

● El desorden nos distrae al desviar nuestra atención de lo que debería ser nuestro enfoque u objetivo principal.

● El desorden hace que sea mucho más difícil relajarse, tanto física como mentalmente.

● El desorden señala constantemente a nuestro cerebro que el trabajo nunca terminará.

- El desorden nos pone ansiosos porque nunca estamos seguros del tiempo que necesitaremos para llegar hasta el final de la pila de trabajo.

- El desorden genera sentimientos de culpa ("Debería ser más organizado/a") y de vergüenza, especialmente cuando recibimos visitas inesperadas en nuestra casa.

- El desorden inhibe la creatividad y la productividad al invadir los espacios diáfanos que permiten a la mayoría de las personas pensar con lucidez y resolver problemas.

- El desorden nos frustra al evitar que localicemos lo que necesitamos con celeridad (por ejemplo, archivos, claves o documentos perdidos).

Mientras mantengas objetos que ya no necesitas, o conserves las cosas por el mero hecho de tenerlas, te será casi imposible avanzar en tus objetivos vitales. La idea central es dejar de lado cualquier elemento que no refleje el estado interno que aspiras a tener. Si deseas un estado mental sano, claro y estable, tu entorno también debe reflejar esta disposición. Limpiar tu vida de cosas innecesarias es también limpiar tu mente. La buena noticia es que, a diferencia de otras fuentes de estrés más comúnmente reconocidas (por ejemplo, nuestros trabajos, nuestras relaciones...), el desorden es uno de los factores de estrés más fáciles de corregir. Y es aquí donde el minimalismo acude raudo a nuestro rescate.

Capítulo 5
¿Qué es el minimalismo?

"El hombre es rico en proporción a las cosas que puede desechar" - Henry David Thoreau (1817-1862), escritor estadounidense.

El minimalismo es un concepto que procede originalmente de la arquitectura y el interiorismo en EE.UU. El axioma central de esta filosofía es: menos es más, un precepto que podemos aplicar a cualquier área de nuestra vida.

En el primer mundo hemos sido condicionados para gastar y consumir más, a acumular posesiones y deudas a costa de nuestra preciada libertad. Este consumismo compulsivo y la presión social de compararnos continuamente con los demás, así como la búsqueda de estatus a través de lo material, nos ha llevado a una carrera de fondo sin fin que sólo produce estrés, ansiedad y frustración.

El minimalismo es una filosofía de vida que se opone de manera frontal al consumismo exacerbado. Su objetivo es simplificar al máximo nuestra vida, creando más tiempo y espacio para disfrutar de lo importante y encaminarnos hacia una vida más plena y satisfactoria. La filosofía tras esta corriente no sólo persigue impedir que la acumulación de cosas nos robe tiempo, energía y dinero, sino la búsqueda de una vida más significativa (que, como hemos visto, es una de las principales vías para alcanzar la felicidad).

Trabajamos muchas horas para comprar cosas que no necesitamos. Luego, malgastamos más tiempo en comprar cosas, ordenarlas y guardarlas. Al necesitar más espacio para guardar todas esas cosas, nos meteremos en nuevos gastos que producirán más endeudamiento.

Es un tiempo -y energía- totalmente malgastado que podríamos dirigir a perseguir lo que realmente queremos, invirtiéndolo en acciones mucho más productivas y positivas, como terminar un trabajo, estudiar y aprender cosas nuevas, realizar actividades que nos llenen, implicarnos en labores altruistas o simplemente pasar más tiempo con la gente que queremos. Se trata, en pocas palabras, de perseguir una vida más plena y satisfactoria al no permitir que la obsesión por acumular bienes materiales drenen nuestra energía, nuestro tiempo y nuestro dinero. A pesar de lo que el bombardeo mediático y cultural quiere hacernos creer, más no es siempre mejor. En la acertada definición del arquitecto Graham Hill (te recomiendo su charla TED[1]), el minimalismo es: "tener menos, para vivir más."

Adoptar un estilo de vida minimalista persigue ser feliz con menos, pero no significa en modo alguno vivir como un espartano o un ermitaño en una cueva. Si bien existen minimalistas extremos que se han autoimpuesto vivir con un número límite de cosas (un caso paradigmático es el de Dave Bruno, autor del libro 'El reto de las 100 cosas', quien decidió reducir todos sus bienes personales hasta un máximo de 100 objetos en el plazo de un año), un mimimalista no renuncia a nada que le acerque a sus objetivos y a la vida que persigue. Cada persona tendrá su propia versión del minimalismo, puesto

---

1.   https://www.ted.com/talks/graham_hill_less_stuff_more_happiness

que lo que es importante para unos puede ser algo totalmente prescindible para otros. Evidentemente, para hablar siquiera de practicar el minimalismo partimos de tener cubiertas las necesidades básicas (alimentación, vestuario, educación, salud), algo que desgraciadamente no siempre se cumple.

Aplicado a nuestra vida diaria, el minimalismo es un estilo de vida que consiste en vivir gradualmente una vida más sencilla y significativa, liberándonos de la presión del consumismo compulsivo y de la "carrera de ratas." Se trata, en otras palabras, de simplificar nuestra vida al tiempo que aprendemos a disfrutar más de lo que tenemos y a perseguir nuestros sueños. El minimalismo es, en definitiva, consumir menos para vivir más.

Son ya muy numerosas las personas que han aprendido a disfrutar de ser más selectivos en sus posesiones. Estas personas han comprobado que ahora disponen de más tiempo y energía para perseguir las metas y objetivos que les hace realmente felices. ¿No te ha ocurrido que, tras tirar una caja de trastos, has tenido un sentimiento inmediato de alivio o liberación?

Capítulo 6

Cómo practicar el estilo de vida minimalista

No es fácil revertir el condicionamiento consumista en el que nos encontramos inmersos, pero el mero hecho de practicar el mimalismo de manera activa y aplicarlo a todas las áreas de la vida cambiará tu mentalidad para siempre.

Con la práctica activa del estilo de vida minimalista liberaremos tensiones y conseguiremos más tiempo para nosotros. Ser capaces de vivir con menos cosas significa necesitar menos dinero y disponer de más energía. Con esta renovación también conseguiremos espacio para que nuevas y enriquecedoras experiencias entren en nuestras vidas. En este capítulo abordaremos cómo aplicar el minimalismo para que produzca en nosotros una transformación profunda en el modo en que vivimos.

cómo adoptar el estilo de vida minimalista:
una hoja de ruta

Céntrate menos en las posesiones materiales y no pierdas nunca de vista lo realmente importante

No podemos pasar por alto que el dinero es algo necesario para darnos seguridad y confort, pero una vez satisfechas estas necesidades, no hay una correlación directa entre más posesiones y mayor felicidad. Los psicólogos Ed Diener y Robert Biswas-Diener afirman que, más que los ingresos absolutos, nuestras expectativas y actitudes con relación a lo material son las que tienen mayor impacto en la felicidad. Lo cierto es que estamos condicionados culturalmente para entrar en una absurda carrera de ratas: una competición sin fin en la que cuanto más ganamos, más gastamos y más nos endeudamos. Competimos por tener cada vez más, pero esto no nos proporciona necesariamente la felicidad (4), ni llenará carencias o vacíos existenciales porque no somos lo que tenemos. Lo que realmente hace feliz a las personas es el bienestar físico y mental, los amigos, la familia, las relaciones sociales positivas, el altruismo, las experiencias agradables, las aficiones y los trabajos vocacionales. Identifica tus verdaderas prioridades en la vida y encamina tus esfuerzos a lograrlos. ¿Qué es lo que realmente quieres conseguir?, ¿qué es lo que realmente quieres hacer?

Define tus objetivos

Pregúntate lo siguiente: ¿Cuáles son mis objetivos? ¿Qué es lo más importante para mi? Las actividades que realices en tu tiempo libre y las compras que hagas a partir de ahora deben estar encaminadas a cumplir dichos objetivos.

Haz balance de lo que tienes

¿Cuántas cosas no usas nunca? ¿Cuántas cosas no te sirven sino para ocupar espacio en tus armarios o trasteros? El minimalista cuestiona constantemente sus posesiones y se deshace de todo aquello que ya no usa o no significa nada para él. Por el contrario, todo lo que uses con frecuencia o haga tu vida más fácil es algo que puedes y debes mantener. Pregúntate todo el tiempo: ¿Realmente necesito esto? Examina tu escritorio, tu casa, tu trastero, tus armarios, y cuestiónate si realmente necesitas esos objetos o si te aportan felicidad. En resumen, identifica todo lo que, inútilmente, ocupa tu espacio y tu tiempo. Recuerda que el minimalista selecciona al máximo y se queda sólo con lo mejor. Mientras menos cosas tengas, menos tiempo perderás en organizar, limpiar y buscar. Como beneficio adicional, liberarás carga mental al no preocuparte tanto por lo que tienes.

No necesitas llevar contigo durante toda la vida cada objeto que has adquirido

Cada cosa que arrastres a lo largo de los años, te supone un coste económico: un trastero, una casa con más habitaciones, más espacio de almacenaje... Si quieres mudarte o viajar, todo te resultará más sencillo y barato. Tu acumulación de posesiones restringen tu libertad de movimiento y de decisión.

Anticípate al desorden

No esperes pasivamente a que la acumulación y el desorden se apodere de tu vida. Puedes prevenirlo activamente. Regala, tira o vende todos aquellos objetos que ya no necesites. Una buena regla general para desechar objetos es desprenderte de todo aquello que no hayas utilizado desde hace más de un año. Aunque pueda darse alguna excepción a esta regla, es bastante improbable que vuelvas a utilizar algo que no has usado en los últimos 12 meses. La ropa es uno de los elementos que más espacio ocupa y más desorden crea en el hogar. Deshazte de la ropa que ya esté pasada de moda o que ya no te quede bien. No la guardes por "si acaso" te hace falta para una fiesta de disfraces ochentera.

Otra buena forma de evitar que el desorden inunde tu vida es crear espacios designados para tus artículos de uso frecuente para que puedas encontrar rápida y fácilmente lo que estás buscando siempre que lo necesites. Estos espacios designados deben ser espacios cerrados como armarios y cajones, ya que guardar las cosas en estantes abiertos o sobre tu escritorio no elimina los estímulos visuales que envían al cerebro señales de desorden, que son las que nos crean estrés. Por el contrario, los espacios diáfanos sin acumulación de cosas nos proporcionarán paz interior. Recuerda que el relax y el desorden son completamente incompatibles. Lo mejor de todo es que no es necesario que esperes para experimentar una vida libre de desorden y reducir tu estrés. Puedes comenzar hoy mismo.

Usa el método de las cuatro cajas

El método de las cuatro cajas es una estrategia simple que te ayudará a eliminar el desorden de tu vida al deshacerte de todo lo necesario. Es un método muy sencillo en dos pasos :

1. Encuentra cuatro cajas y etiquétalas de la siguiente manera: 'Mantener', 'Vender' (o 'Donar'), 'Almacenar' y 'Desechar'.
2. En tu hogar, habitación o espacio de trabajo, clasifica todos los objetos en las diferentes cajas.

La clave de este método está en las etiquetas:

● 'Vender' o 'Donar' son los artículos que puedes llevar a tiendas de segunda mano o regalar a tus amigos, parientes u organización benéfica favorita. Recuerda que lo que para ti es basura para otra persona puede ser algo muy útil.

- 'Almacenar' será la caja en la que guardarás todos aquellos objetos que no usas con regularidad, pero de los que te resulta difícil desprenderte. Almacénalos siempre que tengas espacio disponible y anota una fecha en la caja. Si no la has abierto en un año a partir de dicha fecha puedes deshacerte de ella con la seguridad de que no vas a necesitar nada de lo que hay dentro.

- 'Desechar' incluye todos los artículos que ya no quieres, no utilizas nunca o están demasiado deteriorados para ser donados o vendidos. Es cierto que, al haber adquirido valor sentimental con el tiempo, te será difícil desprenderte de muchas cosas, pero existen técnicas (que veremos más adelante) para desapegarte de lo material. Al quedarte sólo con lo que necesitas ganarás espacio, orden y claridad mental.

- 'Mantener' es, por último, la caja con los artículos que usas regularmente y/o te hacen feliz; es decir, aquellas cosas que están alineadas con quien realmente deseas ser. En caso de duda, recuerda esta regla básica: mantén sólo aquello que signifique algo para ti, que te sea útil o que te acerque a tus objetivos.

Es recomendable reservar al menos una hora a la semana para poner en práctica el método de las cuatro cajas. Al final del proceso comprobarás que no necesitas tanto espacio como pensabas.

Haz que otra persona te ayude a deshacerte del desorden

Sin duda uno de los mayores desafíos para deshacernos de nuestro desorden es el apego que tenemos a muchas de nuestras cosas. De hecho, puede resultarte más difícil de lo que crees la mera acción física de poner en la basura un artículo que, aunque sepas que ya no te sirve para nada, lleve mucho tiempo contigo. Un pequeño truco para superar esta barrera mental es conseguir la ayuda de alguien de confianza para que, de manera más desapegada y objetiva, nos libere del desorden. Dale la caja de los artículos catalogados como 'Desechar' a un amigo o familiar para que la tire por ti. Esto minimizará la natural resistencia a deshacerte de ciertos objetos.

Si una cosa entra, otra tiene que salir

Otra buena norma para evitar la indeseada acumulación de objetos antes de que se produzca es la siguiente: si entra una cosa, sale otra. Es decir, cada vez que adquieras algo nuevo, tienes que regalar, vender o tirar algo viejo. Pero esta regla puede extenderse más allá de los meros objetos. Por ejemplo, si te abres un perfil en una red social, cierras otro que ya tuvieras; si contratas una tarjeta de crédito, cancela otra; si te descargas un archivo en tu ordenador, borra al menos uno antiguo... Es muy importante que te comprometas a fondo con este principio.

Convierte tu casa y tu oficina en un entorno libre de papeles

Un entorno libre de papeles es un espacio que invita, según el caso, a la concentración o al relax. Escanea todos tus documentos para convertir tu casa, tu despacho u oficina en un sitio sin papeles de por medio. Al trabajar en un sitio mucho más ordenado perderás mucho menos tiempo y tendrás una mayor claridad mental. También puedes considerar digitalizar tus fotografías, libros, discos y películas en formato físico.

Evita las compras impulsivas

Compra sólo lo que realmente necesitas. Cada vez que vayas a comprar algo de manera impulsiva, puedes hacerte de nuevo la misma pregunta: ¿Realmente necesito esto? ¿Será mejor mi vida con esto? Un truco para evitar las compras impulsivas es aplazarlas 30 días (si no te vez capaz, al menos hazlo un par de semanas). Comprobarás que, pasado ese tiempo, ya no tendrás tanto interés ni te parecerá tan esencial realizar esa compra.

Plantéate si realmente necesitas un coche

La compra del coche (o coches) es uno de los mayores gastos que acomete una persona de clase media durante su vida. Es una gran fuente de endeudamiento y, económicamente hablando, una mala inversión. A veces no hay más remedio que recurrir a él, pero si puedes moverte a diario en bicicleta o transporte público, simplificarás mucho tu vida y reducirás seriamente tus gastos. Para viajes puntuales, siempre puedes alquilar un vehículo.

No necesitas más almacenamiento

Si compras más cajas, las acabarás llenando. Igualmente ocurrirá si adquieres más estanterías, alquilas un guardamuebles o compras un trastero. Son invitaciones ineludibles a la acumulación y al gasto. No importa cuan grande sea tu casa, la acabarás llenando. No necesitas más almacenamiento, sino menos cosas.

No le des demasiado poder a tus objetos

Un minimalista no venera las cosas materiales, no le da más valor o significado a un objeto que el que realmente tiene. Como todo objeto, es algo que puede ser reemplazado. Un minimalista disfruta de sus posesiones, pero sabe que no las necesita para ser feliz.

Ten presente la ley de Pareto

Pareto fue un sociólogo y matemático que descubrió que el 20% de la población italiana poseía el 80% de la tierra. Esta regla se da también en muchos aspectos de nuestra vida. Hablando en general, el principio formula que el 20% (la regla es flexible, puede ser el 10 o el 15%) de nuestro trabajo produce el 80% de nuestros resultados. Aplicada esta ley a la vida cotidiana, te darás cuenta de que el 80% del tiempo estás usando sólo el 20% de tus cosas (Por ejemplo, seguramente la mayor parte del tiempo usas sólo el 20% de tu ropa porque es la que más te gusta o mejor te sienta. Del mismo modo, tus hijos casi siempre juegan con los mismos juguetes porque son sus favoritos), por lo que, siendo consciente de esto, aprenderás a identificar ese 80% de cosas que sólo sirven para ocupar espacio en tu casa, provocar desorden y hacerte perder el tiempo.

Recicla

Reciclar puede ser una forma muy divertida de introducirse en la vida minimalista. Muchos objetos pueden tener una segunda vida. Aprender a reparar cosas puede ser mucho más satisfactorio, gratificante -y barato- que sustituirlas. Si te gusta la decoración comprobarás que reciclar puede ser un arte muy creativo.

Introduce los cambios poco a poco

Adoptar el estilo de vida minimalista no es para todos, pues requiere esfuerzo y compromiso con uno mismo. Para una transición más efectiva y duradera hacia el minimalismo, es mejor introducir pequeños cambios paulatinos en tu vida diaria en lugar de hacerlo de manera radical.

Además de grandes beneficios como mayor nivel de ahorro, reducción de deudas, menos distracciones, menor estrés y mucho menos tiempo perdido en limpieza y organización, la vida minimalista puede producir cambios en tu mentalidad a un nivel mucho más profundo. Serás capaz de crear -literal y metafóricamente- nuevo espacio para tu bienestar psicológico y experimentar la vida como nunca has hecho antes.

Capítulo 7

Aplica el minimalismo a tu vida digital

Debemos asumir que el desorden y la acumulación siempre terminarán encontrando el camino para entrar en nuestra vida. Pero el desorden no sólo se manifiesta físicamente, también puede ser digital. Seguramente ya te has dado cuenta de que gran parte de tu tiempo transcurre online. Pasamos cada vez más horas mirando diversas pantallas, consultando compulsivamente el correo electrónico, leyendo y publicando en las redes sociales, mirando vídeos de Youtube... La sobreestimulación y la multitarea puede ser adictiva y contraproducente. Se hace necesario, por tanto, aplicar el minimalismo en este área tan importante de nuestro día a día.

A continuación, te propondré algunas técnicas para evitar el desorden digital y simplificar tu vida.

- Revisa tu ordenador para eliminar todos los archivos duplicados. Evalúa también cada archivo y borra los que ya no te sirvan.

● El mero hecho de tener decenas de iconos en tu escritorio o pantalla móvil ya es estresante. Desinstala de tu ordenador los programas que ya no utilizas. Del mismo modo, desinstala de tus dispositivos móviles las aplicaciones que no hayas usado en los últimos 30 días. Lo mejor es que ganarás espacio y mejorarás el rendimiento de tu dispositivo.

● Las redes sociales son un auténtico "agujero negro" de tiempo. Existen aplicaciones y programas que controlan, registran y limitan el tiempo que pasas en las redes sociales. Si crees que pasas demasiado tiempo en dichos sitios, considera instalarlas. Si tienes demasiados perfiles en las redes sociales, quizás te hagas un favor eliminando uno o varios de ellos.

● No tengas más de dos o tres pestañas abiertas en tu navegador web. El exceso de pestañas abiertas nos sobreestimula, nos conduce a la multitarea y envía a nuestro cerebro señales de estrés.

● Apaga el móvil o siléncialo cuando estés trabajando o quieras disfrutar de un momento de relax. Siempre puedes configurar el teléfono para permitir sólamente llamadas de personas específicas, como los familiares mas allegados.

- Si estás suscrito a numerosos blogs, cancela la suscripción de todos aquellos cuyas noticias o actualizaciones no hayas leido en el último mes. Elimina todas las fuentes de información que ya no te aporten nada.

- Utiliza los filtros de *spam* de tu servicio de email. Esto te evitará perder muchísimo tiempo abriendo, leyendo o borrando correos electrónicos.

- Cancela la suscripción de los boletines electrónicos que ya no te interesan. Además de evitar la saturación de tu buzón de correo, esto también te evitará realizar compras impulsivas.

- Digitaliza todos los documentos en papel que puedas. ¡No dejes bajo ningún concepto que los papeles se amontonen en tu escritorio!

- También puedes digitalizar todas tus fotografías. Utiliza servicios de almacenamiento en la nube como DropBox o Google Drive para tus copias de seguridad.

- Hacer limpiezas regulares de tu lista de contactos (en tu móvil y correo electrónico, así como en las redes sociales) también es una buena estrategia para simplificar tu vida. Haz purgas regulares de "amigos" y grupos en las redes.

● No mires tu correo cada cinco minutos. Limita el número de veces al día que lo haces y siempre en un horario determinado. Por ejemplo, puedes comprobarlo una vez, por la mañana, otra por la tarde y otra por la noche.

● Si estás cansado de ver anuncios y publicaciones en Facebook que no tienen nada que ver contigo, márcalos como "irrelevantes" para que la red social sepa que ya no tiene que mostrarte más esas cosas.

● Por último, selecciona muy bien lo primero que lees online al comenzar la mañana. Comienza el día llenando tu mente con información positiva y edificante en lugar de negativa y desalentadora.

El desorden digital puede ser tan destructivo para tu mente como el desorden en tu entorno físico. Aplica estas sencillas técnicas y no sólo reducirás sensiblemente tu estrés sino que serás mucho más productivo.

Capítulo 8

Cómo desapegarse de las cosas materiales

El minimalismo significa libertad en forma de más tiempo libre, menos esfuerzo malgastado y mayor independencia. También implica menor carga mental. En suma, consiste en deshacerte de lo viejo para que nuevas y emocionantes experiencias entren en tu vida. Pero a veces, el apego sentimental a las cosas puede hacer difícil dejar atrás los objetos que hemos ido acumulando durante toda una vida. Estamos decididos a deshacernos de los objetos innecesarios para llevar una vida más sencilla y mimimalista, pero los vínculos sentimentales actúan como un freno mental y nos lo impiden. Estas razones sentimentales pueden ser más peligrosas de lo que puedan parecer en un principio, porque nos obligan a llevar continuamente toda la carga de nuestro pasado. Dejar ir todas esas cosas es dejar ir el pasado y centrarte en tu presente y tu futuro.

A continuación, te voy a dar una serie de consejos para que puedas romper de una vez por todas los vínculos emocionales con los objetos.

● Muchas veces nos aferramos a los objetos en un vano intento de aferrarnos al pasado, pero ten siempre presente que tus recuerdos y tus vivencias están dentro de ti, no dentro de las cosas. Los objetos no tienen ningún tipo de "poder" especial, más allá del que nosotros le otorgamos, que suele ser demasiado.

● Muchas veces conservamos las cosas "por si acaso" o por si "algún día" las necesitamos. Muchas personas guardan durante toda su vida los apuntes del colegio o de la universidad, una gran cantidad de papeles inútiles, ropa vieja que jamás se pondrán o libros que jamás leerán. La realidad es esta: "algún día" suele significar "nunca". No guardes las cosas "por si acaso". Los "por si acaso" son muy peligrosos porque denotan miedo al futuro. Este miedo el futuro implica incertidumbre, y por lo tanto ansiedad. La buena noticia es que al conservar sólo lo que realmente quieres y necesitas, serás libre para centrarte en el momento presente y en lo que realmente deseas hacer.

● A la hora de deshacerte de un objeto al que te sientas atado sentimentalmente, tómalo en tu mano o ponte delante de él. A continuación imagina tu vida sin ese objeto. ¿Encuentras que tu vida sera peor sin eso? Visualiza esa nueva vida libre de ataduras. ¿Te sientes mejor?

● Reevalúa la utilidad real de cada uno de los objetos que posees. Si no te es útil ni te hace feliz, no tiene sentido alguno conservarlo. Esta es la auténtica esencia del minimalismo. Por ejemplo, piensa de qué te sirve ese enorme y pesado jarrón que te regaló un familiar? ¿Te hace feliz ese jarrón en tu salón? Si la respuesta es sí, entonces consérvalo sin remordimiento alguno.

● Para desapegarte de las cosas más fácilmente puedes hacer fotografías de los objetos que quieras recordar. Comprobarás que al mirar la fotografía el efecto será el mismo que si observaras el objeto físicamente. También puedes digitalizar todas tus fotografías. De esto modo, las tendrás mucho más a mano en tu ordenador, móvil o tableta. Además, puedes guardarlas en servicios en la nube como Google Fotos o Dropbox, a salvo para siempre; e incluso usarlas en marcos digitales en lugar de tenerlas acumulando polvo en cajas de cartón que probablemente jamás volverás a abrir.

● Aún queda lo más importante: cambiar tus prioridades. Céntrate en lo que verdaderamente importa: tu familia, tus amigos, tu pareja, tus estudios, tus aficiones, tus proyectos... Haz que tus nuevas cosas favoritas no sean... cosas.

Capítulo 9
Aprende a decir 'No'

El estilo de vida minimalista no se reduce a desechar objetos, sino que busca hacer más sencillas todas las áreas de nuestra vida. Por tanto, también supone descargarnos de tareas, obligaciones e incluso relaciones innecesarias.

Uno de los problemas que puede hacer tu vida mucho más complicada es la incapacidad para decir 'no' a los demás. Incluso si apenas nos queda tiempo para nosotros mismos, muchas veces nos sentimos obligados a aceptar cada solicitud que recibimos, prefiriendo exprimir nuestra agenda y hacer malabares con un millón de tareas por no saber decir 'no' a tiempo. Por supuesto, siempre debemos estar ahí para nuestros seres más queridos, pero aprender a decir 'no' de vez en cuando puede hacerte ganar autoestima y el respeto de los que te rodean. Entonces, ¿cuál es la razón por la que seguimos diciendo que sí todo el tiempo? En ocasiones creemos que decir 'no' es algo egoísta, y tememos decepcionar a otras personas. También puede ser por miedo a caer mal, a que nos critiquen o incluso a arriesgar una amistad. Curiosamente, la capacidad de decir no está estrechamente vinculada a la confianza en uno mismo. Las personas con baja autoconfianza y autoestima a menudo sienten ansiedad por la mera posibilidad de enemistarse con los demás y tienden a priorizar las necesidades de los demás antes que las suyas. Algunas creencias que hayamos podido arrastrar desde la infancia ("Sólo me querrán si soy obediente y servicial" pueden ser las culpables. Si sientes que prácticamente vives para agradar a los demás, tu autoestima puede haber llegado a depender de las cosas que haces para ellos. Se desarrolla así un círculo vicioso en el que las personas que te rodean esperan que estés ahí todo el tiempo para ellos y que tu única misión en la vida es cumplir sus deseos. Ser incapaz de decir 'no' puede llevarte al estrés, la irritabilidad e incluso al agotamiento físico. Las horas que pasas preocupándote por resolver compromisos indeseados podrían sabotear cualquier esfuerzo que hagas para mejorar tu calidad de vida. Además, estarás alejándote cada vez más de tus objetivos. No esperes que tu energía se agote antes de reevaluar la situación.

A continuación, veremos algunos consejos para aprender a decir que no cuando sea necesario, que es uno de los derechos asertivos que todas las personas tenemos.

Mantén tu respuesta simple y directa

Si quieres decir que no, sé firme y directo sin necesidad de excusas innecesarias. Usa frases como "Me halaga que acudas a mí, pero me temo que ahora mismo me es imposible" o "Lo siento, pero no puedo ayudarte en este preciso momento". Trata de ser fuerte en tu lenguaje corporal y no te excedas a la hora de pedir disculpas. Recuerda que no estás pidiendo permiso para decir que no.

Tómate tu tiempo antes de responder

Interrumpe el bucle del 'sí' permanente usando frases como "Te respondo mañana". Esto te dará tiempo para pensar y considerar tus opciones. Tras este pequeño periodo de reflexión podrás decir que 'no' con más confianza.

Usa un lenguaje contundente

En algunas ocasiones puedes utilizar un lenguaje algo más "agresivo". Por ejemplo, si están intentando venderte una tarjeta de crédito que no quieres, decir algo como "no uso tarjetas de crédito" será más efectivo que "en este momento no, gracias", dado que esta última frase implica que quizás te puedan convencer más adelante. Este lenguaje directo también puede ser utilizado en otros muchos escenarios. Si tus compañeros de trabajo quieren que salgas entre semana y tú no quieres, es más poderoso decir "no salgo entre semana", que "no puedo salir hoy", ya que esta segunda respuesta implica que estás más abierto al debate.

Si no puedes negarte, ofrece una alternativa

Por supuesto, todos sabemos que algunos compromisos y obligaciones son difíciles de rechazar; y aunque sería lo ideal, no puedes decirle a tu jefe: "Lo siento, no trabajo nunca a partir de las 6 de la tarde". Por suerte, existen formas de suavizar el rechazo. En el caso, por ejemplo, de que te encarguen trabajo extra, podrías sugerir que no eres la mejor opción para esa tarea porque estás ya sobrecargado de trabajo y no querrías sacrificar la calidad del mismo.

Distingue el no del rechazo

Recuerda que rechazar una petición concreta de alguien no es lo mismo que rechazar a una persona. Por lo general la gente comprenderá que, de igual forma que ellos tienen derecho a pedir favores, tú también tienes derecho a decir que no.

A la hora de simplificar tu vida, será necesario crear algo de tiempo para ti. Sé sincero contigo y plantéate con honestidad lo que realmente quieres y no quieres hacer. Decir 'no' implica poner ciertas reglas y refleja estabilidad y confianza en uno mismo. Aprender a decir 'no' es tomar las riendas de tu propia vida.

Referencias bibliográficas

1. Seligman, M. E. P. (2002). *Authentic Happiness: Using the New Positive Psychology to Realize Your Potential for Lasting Fulfillment*. New York: Free Press. ISBN 0-7432-2297-0 (Nueva edición, 2004, Free Press, ISBN 0-7432-2298-9). En español: Seligman, M. E. P. (2002). *La auténtica felicidad*. Ediciones B.
2. Dunn, Elizabeth W., Aknin, Lara B, Norton, Michael I. *Spending Money on Others Promote Hapiness*. Science 21 Mar 2008: Vol. 319, número 5870, pp. 1687-1688.
3. Arnold, Jeanne E., Graesch, Anthony P., Ragazzini, Enzo, Ochs, Elinor. (2012). *Life at Home in the Twenty-First Century: 32 Families Open Their Doors*. The Cotsen Institute of Archaeology Press, UCLA.
4. Kushlev, K., Dunn, E. W., & Lucas, R. E. (2015). *Higher Income Is Associated With Less Daily Sadness but not More Daily Happiness*. Social Psychological and Personality Science, 6(5), 483–489. https://doi.org/10.1177/1948550614568161.

Bibliografía

Bruno, Dave (2014). *El reto de las 100 cosas*. Click ediciones.

Fields, Joshua y Nicodemus, Ryan (2018). *Minimalismo* (Ensayo). Kairós.

Jay, Francine (2016). *Menos es más: Cómo ordenar, organizar y simplificar tu casa y tu vida*. Zenith.

Kondo, Marie (2015). *La magia del orden*. Aguilar.

Seligman, M. E. P. (2002). *La auténtica felicidad*. Ediciones B.

St. James, Elaine (1996). *Simplifica tu vida*. Integral.

Tatsumi, Nagisa (2016). *El arte de tirar*. Duomo.

Sobre el autor

Juanjo Ramos es psicólogo, bloguero y escritor. Ha publicado numerosos libros especializados en marketing digital. Le apasiona el minimalismo y vive un estilo de vida en la que esta filosofía está muy presente. Es autor de www.lavidapositiva.com[1], un blog sobre psicología positiva.

---

1. http://www.lavidapositiva.com/

Una última cosa

Si disfrutaste este libro o lo encontraste útil, estaría muy agradecido si publicaras una breve reseña en la librería digital donde lo compraste. Tu apoyo realmente marca la diferencia y leo todas las críticas personalmente para poder considerar tus comentarios y mejorar este libro en sucesivas ediciones.

¡Muchas gracias!

Don't miss out!

Visit the website below and you can sign up to receive emails whenever Juanjo Ramos publishes a new book. There's no charge and no obligation.

https://books2read.com/r/B-A-XPJM-SFTJB

BOOKS 2 READ

Connecting independent readers to independent writers.

Did you love *Minimalismo: una vida más feliz con menos cosas*?
Then you should read *Ejercicios de Psicología Positiva para aumentar tu felicidad*[1] by Juanjo Ramos!

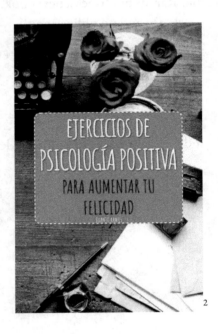

[2]

La **psicología positiva** trata de proporcionar a las personas su propio arsenal de recursos y técnicas para ser más felices; pero para incrementar nuestra felicidad y bienestar tenemos que pasar a la acción, poniendo en práctica de manera activa los valiosos conocimientos que esta disciplina pone a nuestra disposición.Todas las personas solemos tener, en mayor o menor medida, un sesgo de negatividad. Esto significa que tendemos a centrarnos en lo negativo, pasando por alto todo lo positivo. La

1. https://books2read.com/u/4XLg7N

2. https://books2read.com/u/4XLg7N

psicología positiva se encarga, entre otras cosas, de "recalibrar" nuestra mente para que aprenda a detectar todo lo bueno que hay en nuestras vidas.Los **ejercicios prácticos** que vas a aprender en este libro van a poner a tu cerebro en la "longitud de onda" adecuada para apreciar todas las maravillas que la vida te ofrece, incrementando tus niveles de autoestima, optimismo y felicidad.

Read more at https://www.lavidapositiva.com.

Also by Juanjo Ramos

Psicología del deporte. Entrenamiento mental para mejorar tu rendimiento deportivo

Curso intensivo de Copywriting. Aprende a persuadir con el poder de las palabras

Teletrabajo. Hábitos saludables y productivos

Ejercicios de Psicología Positiva para aumentar tu felicidad

Marketing de Influencers

Optimízate. Desata el poder del optimismo para transformar tu vida

Ejercicios de psicología para mejorar tu vida en pareja

Escribir para vender. Cómo redactar para la Web

Estrategias de Marketing en Instagram

Marketing de afiliación. Guía práctica

Minimalismo: una vida más feliz con menos cosas

SEO Copywriting. Mejora tus textos y tu posicionamiento en buscadores

Técnicas de neuromarketing para aumentar tus ventas

Watch for more at https://www.lavidapositiva.com.

CPSIA information can be obtained
at www.ICGtesting.com
Printed in the USA
BVHW031658141022
649481BV00011B/472